Para Maya,
la verdadera protagonista
de esta historia.

Esta obra está protegida
por los Derechos de Autor.
No la reproduzcas sin permiso.
Acude a info@cempro.org.mx

CeMPro
Centro Nacional de Protección y Fomento
a los Derechos de Autor
Sociedad de Gestión Colectiva

Teléfono: 1946-0620
Fax: 1946-0655
e-mail: a_literatura@editorialprogreso.com.mx
e-mail: servicioalcliente@editorialprogreso.com.mx

Creación editorial: David Morrison
Coordinación editorial: Marte Antonio Topete y Delgadillo
Edición: Marte Antonio Topete y Delgadillo
Coordinación de diseño: Luis Eduardo Valdespino Martínez
Diseño de portada e interiores: Fernando Daniel Perera Escobedo
Ilustración de portada: Gonzalo Raymundo Gómez Gómez

Derechos reservados:
© 2014 Diana Coronado Peña
© 2014 Editorial Progreso, S. A. de C. V.
         GRUPO EDELVIVES

Emilia y el mar

Miembro de la Cámara Nacional de la Industria Editorial Mexicana
Registro No. 232

ISBN: 978-607-8380-54-1

Impreso en México
Printed in Mexico

1ª edición: 2014

Emilia y el mar

Diana Coronado

Ilustraciones de Gonzalo Gómez

Emilia y el mar se miran por primera vez:
ella con sombrero de arcoíris y cubeta en una mano;
él de copete blanco y con traje azul profundo.

La brisa los despeina y sobre ellos las gaviotas dibujan en un
lienzo de cielo sin nubes.

El mar alza una ola y con voz grave saluda:

"ggguuushhh".

Ella lo mira en silencio.

—Emilia, ¿quieres tocar el agua? —le dice
su papá.

El mar escucha emocionado, y estira sus
brazos frescos sobre la arena caliente.

Pero ella da dos pasos hacia atrás y no
lo toca.

—No, ahora no. Primero quiero jugar con mi
cubeta —contesta.

El mar se esconde entre las algas y vuelve a saludar:

"gguuushhh".

Nadie responde...

Emilia y su papá hacen un castillo de arena con un foso que lo rodea, colocan la pala encima de una torre como si fuera una bandera.

—Emilia, ¿quieres que vayamos por agua para llenar el foso del castillo? —pregunta su papá.

De nuevo el mar se estira hacia los pies de la niña, pero ella contesta:

—No, ahora no. Voy a recoger conchitas.

El mar guarda sus brazos detrás de las piedras y vuelve a saludar:

Emilia camina de un lado al otro de la playa buscando conchas.

Recoge unas blancas, otras grises y algunas más, rosas.

Las junta hasta que ya no le caben en las manos.

Cuando se las enseña a su papá, él le pregunta:

—¿Quieres ahora enjuagarlas con el agua del mar?

Éste, al escuchar su nombre, estira varios de sus brazos húmedos.

Emilia retrocede y contesta:

—No, ahora no. Prefiero jugar a las huellas.

El mar se va con los peces y suspira afligido:

"ggguuushhh".

Nadie responde.

Emilia salta dibujando sombras de sus pies en la arena lisa.

Camina como cangrejo sobre sus pasos, con pies de pato, saltando como conejo, deslizándose como pingüino.

Al terminar, sus huellas parecen hojas caídas en otoño.

Se acerca su papá a preguntarle:

—Emilia, ¿quieres marcar tus pies en donde
llega el mar para que el agua borre las huellas?

El mar estira largos, largos, sus brazos más hermosos, aquellos con destellos de sol entre sus dedos.

Ella contesta:

—No, ahora no. Prefiero dibujar sobre la arena.

El inmenso mar se retira sin saludar
porque sabe que Emilia no le dirá nada...

Emilia se hinca en un lugar cerca de la orilla para esbozar una estrella, una luna, una sirena.

De pronto, una ola grande revienta a su espalda
y el agua de la marea le abraza las piernas.

El mar le hace cosquillas con diminutas gotas en la cara
y cuando Emilia abre los ojos, los dibujos se han borrado.

La niña mira los restos de mar en su cuerpo y ve que sólo es eso: agua.

Agua que dejó un sabor a pistache en sus labios.

Emilia se levanta y camina hacia el mar.

Él alarga sus brazos limpios para esconder los pies de ella debajo de la espuma.

La brisa los despeina y las gaviotas aún dibujan en un lienzo de cielo sin nubes.

Se escucha un alegre

" ggguuushhh "

y una risa.

Emilia y el mar se saludan.

Se terminó la impresión de *Emilia y el mar* en agosto de 2014
en los talleres de Editorial Progreso, S.A. de C.V.
Naranjo No. 248, Col. Santa María la Ribera,
Delegación Cuauhtémoc, C.P. 06400, México, D.F.